LE TRAVAIL ET LA LOI

Robert Badinter
Antoine Lyon-Caen

Le travail et la loi

Fayard

Dessins © Plantu
Couverture Atelier Christophe Billoret

ISBN : 978-2-213-68689-9

© Librairie Arthème Fayard, 2015

INTRODUCTION

Depuis quarante ans, la France souffre d'une grave maladie sociale : le chômage de masse. Les chiffres sont là, impitoyables :

- 1975 : 700 000 demandeurs d'emploi
- 1985 : 2,1 millions
- 1995 : 2,6 millions
- 2005 : 2,4 millions
- 2015 : 3,5 millions

Encore ne s'agit-il là que du chômage total. Si l'on prend en compte les diverses formes du chômage partiel, on arrive au chiffre effrayant de 6 millions de personnes qui ne bénéficient pas en France d'un travail à temps plein, d'un salaire régulier ni de tous les avantages légaux de la protection sociale[1].

De surcroît, ce ne sont pas les seuls chômeurs qui se trouvent affectés par ce mal. Le chômage est devenu angoisse familiale et névrose collective. Les parents redoutent de voir leurs enfants en fin d'études ne pas trouver un emploi à la mesure de leurs compétences, pis encore de ne pas en trouver du tout. Les adultes encore dans la force de l'âge craignent, si leur entreprise ferme ou procède à des licenciements économiques, de ne plus obtenir un poste convenant à leur qualification, ni même un

---

1. En mars 2015, il y avait 3,5 millions de chômeurs de catégorie A (en recherche d'emploi n'ayant exercé aucune activité au cours du mois), 687 000 chômeurs de catégorie B (en recherche d'emploi, ayant exercé une activité réduite courte au cours du mois), 1 million de chômeurs de catégorie C (en recherche d'emploi, ayant exercé une activité réduite longue au cours du mois), 324 000 chômeurs de catégorie D (en recherche d'emploi, en période de stage, de formation, de maladie…) et 382 000 chômeurs de catégorie E (bénéficiaires de contrats aidés essentiellement).

emploi. Chaque conjoint craint pour l'avenir professionnel de l'autre. Et tous deux pour celui de leurs enfants. Ainsi, dans notre société, si le chômage ne nous atteint pas tous, chacun en est directement ou du moins indirectement affecté, ne serait-ce que par le poids des indemnités et le coût économique qu'il implique. Un climat anxiogène imprègne l'ensemble de la société française, dont le chômage de masse est une caractéristique déterminante.

On ne peut reprocher aux gouvernements successifs d'être demeurés inertes devant la montée du chômage. Au soir de sa vie, le président Mitterrand, dans un moment de lassitude, disait : « Contre le chômage, on a tout essayé... » Le constat était amer, mais la conclusion erronée. Face au chômage, bien des traitements, notamment l'aide, sous de multiples formes, de l'État au profit des employeurs qui embauchent, ont été mis en œuvre. Sans grands effets sur le chômage réel. Mais d'autres remèdes sont à portée de main, qui ne demandent qu'une analyse exacte des causes de ce fléau et une volonté collective d'y remédier par des moyens appropriés.

À cet égard, la situation des petites et moyennes entreprises appelle une attention particulière. Aux facteurs généraux qui affectent l'économie française s'ajoute, dans le cas des petites et moyennes entreprises (PME) et des très petites entreprises (TPE), un mal particulier : la complexité du droit du travail, présenté comme un maquis inextricable de textes de tous ordres, qui constituent pour le patron d'une petite entreprise autant de pièges dissimulés, de mines dérobées au regard de tous, sauf des spécialistes, familiers des juridictions du travail.

Or, si les grandes entreprises bénéficient du concours de directeurs des ressources humaines (DRH) compétents, de juristes expérimentés dans le droit du travail, le patron d'une petite entreprise ne compte que rarement dans son équipe un collaborateur initié aux finesses de ce droit complexe. Il consacre son temps et son énergie à la production, à la commercialisation des produits ou services et à la gestion même de l'entreprise. Il lui reste le week-end pour tenir sa comptabilité et assumer les multiples obligations des régimes sociaux. L'engagement d'un nouveau salarié, la rédaction du contrat lui apparaissent, au regard de cette complexité qu'il redoute autant qu'il l'ignore, une charge supplémentaire insupportable. Et, pour peu qu'il ait connu quelque difficulté lors du licenciement d'un précédent employé et fréquenté le Conseil des prud'hommes, on conçoit qu'il en vienne à considérer qu'à tout prendre mieux vaut ne pas conclure avec un salarié un contrat de travail que s'exposer à de tels coûts et charges de temps. Ainsi, la vision d'un droit du travail perçu comme une forêt trop obscure et hostile pour qu'on s'y aventure joue contre le recrutement de salariés complémentaires dans les petites et moyennes entreprises. Et le droit du travail ainsi mythifié joue contre les travailleurs qu'il est censé protéger.

De ce constat est né cet ouvrage qui n'a d'autre ambition que de rendre au contrat de travail clarté et crédibilité perdues et, nous le disons avec force, le respect qu'il mérite dans une société régie par le droit, qui ne saurait se confondre à nos yeux avec l'addiction législative et la manie réglementaire[1].

*

La France est l'un des rares pays européens à s'être doté, depuis le début du XXᵉ siècle, d'un Code du travail qui regroupe l'ensemble des lois et règlements ayant trait au travail salarié et aux relations professionnelles qui l'entourent. Comme ce Code est un ouvrage utile aux juristes professionnels, les maisons d'édition spécialisées en assurent une publica-

---

1. Comme le rappelle Pascal Lokiec, le Code du travail est passé de 600 articles en 1973 à plus de 10 000 aujourd'hui. Pascal Lokiec, *Il faut sauver le droit du travail !*, Odile Jacob, collection Corpus, 2015, p. 70-71.

tion agrémentée de commentaires et de multiples références. Dans ses versions courantes, le Code du travail est donc devenu fort volumineux.

Ainsi, tout s'enchaîne. Le droit du travail se confond avec son Code. Tel qu'il est présenté au public, c'est un ouvrage épais, très épais même. Il devient alors facile, en le brandissant, de proclamer que notre droit du travail est devenu obèse, malade.

Faire le procès d'un livre est communément une faute, quand ce n'est pas une infamie. Le Code du travail actuel, entré en vigueur en 2008, est le fruit d'un travail accompli, sous l'égide du ministère du Travail, par différents groupes d'experts. Leur mission consistait, non pas à écrire un nouveau Code, mais à revoir l'énoncé, le mode de classement et l'architecture des textes précédemment codifiés en 1973, sans, en principe, toucher aux règles qui découlent de ces textes. La ligne imposée aux artisans de cette (re)codification était d'œuvrer « à droit constant ».

L'administration, qui pratique avec ardeur l'art de la codification, a progressivement soumis cette activité intellectuelle à des canons. Le nouveau Code du travail a été conçu dans leur respect scrupuleux. Il ne mérite donc pas un autodafé.

Ce n'est pas au Code qu'il faut s'en prendre. Il faut remonter aux sources. Au cœur de ces textes se trouvent des règles. Ce sont elles qu'il faut analyser pour comprendre les crispations que le droit du travail contemporain suscite. Ces règles, qu'il s'agisse des contrats de travail ou de la durée et de l'aménagement du temps de travail, ou encore de la conciliation de la vie au travail et de la vie privée, sont souvent d'une redoutable complexité. Mais quelle en est la cause ?

Cette complexité provient avant tout de ce que ces règles sont inspirées par plusieurs ordres de préoccupation, plusieurs exigences, qu'il est difficile de mettre en harmonie, mais que ces textes s'efforcent néanmoins de conjuguer.

Différentes exigences ? Tentons de les éclairer, en usant d'une distinction simple.

Il est une première exigence qui se trouve au départ d'innombrables dispositions : celle de la liberté d'initiative de l'entrepreneur, devenu, dans les relations de travail, un employeur. Elle est à la racine de la liberté de conclure un contrat, du pouvoir de faire le choix d'une production et d'en aménager l'organisation. Il en va de même du pouvoir de soumettre les salariés à une évaluation, de déterminer les horaires de travail et, dans certaines limites, d'accroître le temps de travail d'un salarié ou de changer son lieu d'exercice. Cette exigence se distingue d'une autre, celle de l'efficacité : il faut qu'une organisation productive réalise au mieux ce pourquoi elle a été conçue. Ceux qui y participent doivent donc s'adapter les uns aux autres et coordonner leurs activités. L'efficacité du travail requiert des normes qui encadrent le pouvoir de l'entrepreneur, mais s'imposent aussi aux aspirations individuelles des salariés. D'autres impératifs, tel le respect de la santé et de la dignité des salariés, imposent également des limites.

Énoncer ces différentes exigences paraît simple. Mais les concilier constitue un exercice difficile. Le résultat est là. La complexité triomphe.

Ceux qui s'efforcent d'exposer et de commenter les règles et, plus encore, ceux qui les élaborent ne s'arrêtent pas sur l'origine de leur complexité. Encore moins sur la présentation qui va en être donnée. Ils ont pris leur parti de cette complexité, sorte d'ADN du droit du travail contemporain. Il est ainsi devenu pour ainsi dire naturel aux yeux des auteurs d'une réforme législative, mais aussi des juges et des juristes de profession, que les conditions d'utilisation et le régime des contrats à durée déterminée, l'extrême diversité des régimes du temps de travail et leurs conséquences sur les heures supplémentaires, ou l'assiette de calcul des droits pécuniaires du salarié, ou encore la pratique des repos compensateurs soient difficilement compréhensibles ou accessibles aux salariés comme aux responsables d'entreprises modestes.

Pareille complexité ne devrait satisfaire personne. Elle nuit à l'intelligibilité des règles. Comme elles ont plusieurs raisons d'être, chacun peut avancer celle qui lui paraît utile à ce qu'il veut montrer. Ainsi, certains dénoncent les effets pervers de telle ou telle règle, par exemple celle qui requiert un entretien préalable à tout licenciement, ou encore celle qui prévoit l'indemnisation du salarié licencié sans motif réel et sérieux. Mais, pour être dénoncée, la perversité d'une règle suppose que sa finalité soit établie et que son application entraîne un effet inverse. Comment assigner tel but à telle règle ? La difficile intelligibilité des règles se perçoit dès lors qu'on veut préciser l'action ou le comportement précis dont elles seraient l'énoncé.

Avec des raisons d'être malaisées à expliquer, une portée suscitant l'embarras, les règles perdent leur clarté et leur utilité. Un salarié ou un employeur, dans une situation donnée, sont-ils certains de pouvoir les invoquer ? Et avec quelle perspective de succès ?

Intelligibilité médiocre, utilité incertaine : tel est le terreau sur lequel se nourrit le sentiment de la nocivité de telles règles.

*

Dès lors, qu'avons-nous voulu faire ?

C'est à propos du contrat de travail lui-même, qui constitue le cœur du droit du travail, que s'élèvent les discussions les plus vives, qu'il s'agisse de la diversité des contrats, de leur rupture, de la rémunération, du temps de travail, mais aussi des droits opposables par le salarié à son employeur.

À distance du contrat de travail, se trouvent d'autres parties du droit du travail qui ne sont pas évoquées ici. Ainsi n'est pas abordé le droit des relations professionnelles, celles qui mettent en rapport un employeur et une collectivité de travail, ou encore une organisation professionnelle d'employeurs et une ou des organisations syndicales. S'il a sa complexité propre, ce droit des relations professionnelles la doit à ses racines qui plongent dans l'histoire, notamment l'histoire syndicale, dans le droit constitutionnel et dans le droit international. Il est néanmoins évoqué avec la mise en lumière du droit de tout salarié à voir ses intérêts défendus par un syndicat de son choix et par un représentant qu'il a contribué à élire (v. sous-articles 49 et 50).

Le droit de la santé et de la sécurité au travail n'est abordé que de façon très partielle. Il est au demeurant audacieux de vouloir l'embrasser pleinement, tant il est, sous l'impulsion de l'Union européenne avec la montée des exigences de sécurité et des exigences environnementales, dans une effervescence permanente.

Nulle véritable incursion, enfin, dans le droit des institutions publiques du travail – administration, juridictions et procédures contentieuses du travail — visées pourtant par des dispositions dont le siège est dans le Code du travail et y occupent même un espace important. Les textes correspondant à ces sujets pourraient figurer, les uns dans un Code administratif, les autres dans le Code de procédure civile. Le Code du travail les accueille avec une hospitalité qui ne nous oblige pas.

Demeure ainsi le cœur du droit du travail, qui concerne la relation de travail. En France, hormis les fonctionnaires, ce rapport de travail revêt une forme : il se coule, en principe, dans un contrat.

Face à ce droit du contrat de travail, à ses défauts, que faire ?

Allons tout de suite au résultat recherché : il s'agit d'extraire du droit actuel ses lignes directrices ou mieux ses principes. Par « principe », il faut entendre une règle d'un niveau élevé de généralité qui fonde et ordonne tout un ensemble de dispositions détaillées. Ainsi, un principe occupe une place éminente dans l'architecture globale, il apparaît comme une des poutres maîtresses de l'édifice juridique.

Ces principes constituent la structure de base du droit du travail.

Pourquoi cet exercice est-il aujourd'hui indispensable ? D'abord, pour prendre une juste distance avec la complexité des dispositions du droit actuel et mettre en lumière l'essentiel, le noyau dur du droit du travail. Il l'est encore pour que soit apprécié, s'il existe, comme nous le croyons, un large accord en France sur ces principes. Il l'est enfin parce qu'il faciliterait une révision nécessaire des textes actuels.

Trois directions peuvent être explorées.

La première concernerait les entreprises de taille modeste. Le droit du travail applicable à ces entreprises pourrait, dans une large mesure, être circonscrit à ces principes. Un effort devrait être fait pour que leur déclinaison par des prescriptions plus détaillées soit empreinte de modération. Un complément utile pourrait venir de l'établissement sous la responsabilité conjointe des organisations syndicales et professionnelles, de modèles de contrats simples et clairs et de guides de leurs modalités d'emploi. L'informatique permettrait de les rendre aisément accessibles à tous, employeurs et salariés, dans un souci de clarté et d'intelligibilité.

Dans les entreprises où le droit des travailleurs à la participation serait considéré comme effectivement mis en œuvre, par voie de négociation collective ou de coresponsabilité, les principes, avec les quelques déclinaisons législatives destinées à les compléter, pourraient constituer le droit étatique applicable. La négociation collective ou un mécanisme de coresponsabilité ferait le reste.

Enfin, troisième dimension, ces principes pourraient servir de grille à une relecture critique et collective de l'ensemble des dispositions dont ils sont les fondations. Ainsi pourrait se réaliser une harmonisation et une simplification nécessaire du droit du contrat de travail.

Dans les entreprises de taille modeste, la mutation d'un droit foisonnant, doté de branches et de rameaux multiples, en un droit de principes généraux clairement formulés, suppose que le salarié ne soit pas isolé, livré à lui-même et aux tête-à-tête avec son employeur, même si cette situation constitue souvent la réalité vivante des relations de travail.

Le salarié doit pouvoir, dans ce cas, s'adresser à des représentants extérieurs à l'entreprise, et ceux-ci doivent pouvoir se rendre sur les lieux de travail et rencontrer l'employeur. Un représentant, délégué du personnel dans l'agglomération ou le bassin d'emploi, doit pouvoir rencontrer, de manière régulière, l'employeur dans les locaux de l'entreprise et lui présenter les réclamations des salariés. Rien de plus précieux qu'un délégué pour résoudre les difficultés et prévenir la méfiance.

Ces représentants extérieurs doivent-ils être élus ? Sans doute. Dans quels périmètres ? Plusieurs sont concevables, notamment le département. Mais, avec les précautions nécessaires, leur accès aux lieux de travail est nécessaire pour qu'un droit simplifié soit crédible.

Après avoir mis en lumière les principes qui structurent le contrat de travail, il convient d'aller plus loin et de les inscrire dans les dispositions de ces contrats.

Pour y parvenir, il appartiendra aux pouvoirs publics et aux partenaires sociaux de poser le cadre juridique des relations de travail dans les entreprises, ce que l'on appelle la déclinaison des principes, leur mise en œuvre.

Nous proposons donc quelques exemples de déclinaisons de ces principes fondamentaux, qui permettraient aux pouvoirs publics et aux partenaires sociaux, par la loi ou la conclusion d'accords collectifs, de transposer ces principes en règles juridiques applicables aux relations de travail au sein des entreprises.

Quant aux modalités des contrats de travail eux-mêmes, notamment dans le cas de petites entreprises, il paraît souhaitable qu'ils soient élaborés par branche ou catégorie d'entreprise et publiés sur un site internet, sous le contrôle de la Direction générale du travail. Ainsi sera-t-il aisé, pour chacune des parties concernées, d'avoir accès à ces modèles et de les utiliser comme tels pour élaborer un contrat de travail. Ce recours à des modèles informatisés, clairs et suffisamment précis, contribuera à dissiper les inquiétudes infondées qui règnent trop souvent dans le domaine de la relation de travail. Faire régner la clarté là où sévissent l'incertitude et la confusion et faciliter ainsi l'embauche au sein des entreprises, telles ont été nos intentions en rédigeant ce petit ouvrage. Il en adviendra ce que ses lecteurs et le public en feront.

PRINCIPES

I.

Droits fondamentaux

Article 1 : Les droits fondamentaux de la personne sont garantis dans l'entreprise.

Article 2 : Le respect de la dignité des personnes est assuré dans l'entreprise.

Article 3 : Toute discrimination à raison de l'origine, des opinions, de l'appartenance à une ethnie, une nation, une race ou une religion déterminée ainsi qu'à raison du sexe, de l'orientation ou identité sexuelle, de l'âge, de la situation de famille, de la grossesse, de l'apparence physique, du nom de famille, du lieu de résidence, de l'état de santé ou d'un handicap est interdite dans l'entreprise.

Article 4 : Toute mesure qui porte atteinte dans l'entreprise à l'égalité entre les femmes et les hommes est nulle.

Article 5 : Les différences de traitement entre salariés dans l'entreprise ne sont admissibles qu'à condition de répondre à un but légitime.

Article 6 : Il est interdit d'employer un mineur de moins de seize ans, sauf si le travail prend place dans une formation professionnelle ou alterne avec elle.

Article 7 : Le harcèlement moral ou sexuel est interdit, et sa victime protégée.

Article 8 : L'employeur a le pouvoir d'organiser le travail dans l'entreprise. Il prend les mesures nécessaires pour garantir la sécurité, protéger la santé physique et mentale des salariés, et assurer l'adaptation du travail à la personne du salarié.

II.

Formation et exécution

Article 9 : Le contrat à durée indéterminée est la forme normale de la relation de travail. Le contrat à durée déterminée permet de répondre aux besoins temporaires de l'entreprise.

Article 10 : Toute mise à disposition d'un salarié à but lucratif est interdite sauf dispositions législatives expresses.

Article 11 : Les procédures de recrutement respectent la dignité et la vie privée du candidat.

Article 12 : Le salarié a droit, lors de son embauche, à une information complète et écrite sur les éléments essentiels de la relation de travail.

Article 13 : Toute embauche d'un salarié donne lieu à déclaration aux organismes de sécurité sociale.

Article 14 : Tout contrat à durée indéterminée peut comporter une période d'essai raisonnable.

Article 15 : Le contrat de travail se forme et s'exécute de bonne foi.

Article 16 : L'employeur assure au salarié les moyens d'effectuer son travail. Le salarié exécute avec diligence la prestation convenue.

Article 17 : L'employeur assure l'adaptation des salariés à l'évolution de leur emploi. Il veille, notamment par une formation continue, au maintien de leur capacité à occuper un emploi.

Article 18 : Toute évaluation professionnelle est respectueuse de la dignité et de
la vie privée du salarié.

Article 19 : Le transfert d'une entreprise
emporte transfert du contrat de travail.

Article 20 : La grossesse et la maternité ne
peuvent justifier d'autres mesures que celles
requises par l'état de santé de la femme.
La grossesse ouvre droit à un congé qui se
poursuit au-delà de l'accouchement.

Article 21 : Le salarié bénéficie de congés
qui lui permettent de concilier sa vie au travail avec sa vie personnelle, familiale et
civique.

Article 22 : L'incapacité au travail médi-
calement constatée justifie des arrêts de
travail. Elle ouvre la voie à un licenciement en cas d'impossibilité de retour à
l'emploi.

Article 23 : La maladie grave du salarié justifie ses absences pour traitement médical.

Article 24 : Le salarié victime d'un accident du travail ou d'une maladie professionnelle bénéficie de garanties renforcées.

III.

RUPTURES

Article 25 : Tout licenciement requiert de l'employeur qu'il informe le salarié de son projet, recueille ses observations et dispose d'un motif réel et sérieux pour y procéder.

Article 26 : Le licenciement requiert un préavis et ouvre droit au versement d'une indemnité, sauf faute grave du salarié.

Article 27 : Le salarié peut, sous réserve de l'abus, librement mettre fin au contrat à durée indéterminée.

Article 28 : Nul ne peut être écarté de son emploi en raison de son âge ou de sa vocation à percevoir une pension de retraite sauf si le départ du salarié, avec jouissance immédiate d'une pension à taux plein, donne lieu au recrutement concomitant d'une personne en recherche d'emploi.

Article 29 : L'employeur et le salarié peuvent mettre fin, d'un commun accord, au contrat de travail en concluant une convention homologuée par l'autorité administrative.

Article 30 : Toute rupture s'accompagne de la délivrance par l'employeur de documents attestant des fonctions exercées par le salarié et des sommes réglées lors de son départ.

IV.

DISCIPLINE

Article 31 : L'employeur qui entend prononcer une sanction disciplinaire doit faire connaître au salarié les faits reprochés, susciter et recueillir ses observations, et motiver sa décision.

V.

Durée du travail

Article 32 : Le temps de travail effectif est le temps pendant lequel le salarié est à la disposition de l'employeur et se conforme à ses directives.
Le temps de repos est le temps libre de toute subordination.

Article 33 : Afin de préserver la santé du salarié ainsi que sa vie privée et familiale, la durée quotidienne et la durée hebdomadaire de travail effectif ne peuvent dépasser les limites fixées par la loi.
Ces limites sont susceptibles de dérogation par voie d'accord collectif et, à titre exceptionnel, par décision de l'administration, dans les conditions prévues par la loi.

Article 34 : Tout salarié bénéficie d'un repos quotidien d'une durée minimale fixée par la loi. Celle-ci prévoit les conditions dans lesquelles cette durée peut être réduite à titre exceptionnel.

Dès que le temps de travail quotidien atteint une durée déterminée par la loi, le salarié bénéficie d'un temps de pause raisonnable.

Article 35 : Il est interdit de faire travailler un salarié plus de six jours par semaine.

Le repos hebdomadaire est donné le dimanche sauf dérogation dans les conditions déterminées par la loi.

Article 36 : Le travail de nuit n'est possible que s'il est nécessaire pour assurer la continuité d'une activité économique ou d'un service d'utilité sociale et si la protection de la santé et de la sécurité du salarié est prise en considération. Sa mise en place requiert une convention ou un accord collectif, ou, à titre exceptionnel, une autorisation administrative.

Article 37 : Tout salarié a droit, chaque année, à un congé payé à la charge de l'employeur. La durée de ce congé et ses modalités sont fixées par la loi. La période de prise des congés payés est fixée par les conventions et accords collectifs et, à défaut, par l'employeur dans le respect des usages.

Article 38 : La durée normale du travail effectif est établie par les conventions et accords collectifs et, à défaut, par la loi. Les heures de travail accomplies au-delà de la durée normale ne peuvent dépasser une limite fixée par convention ou accord collectif, ou, à défaut, par décret. Elles donnent lieu à une rémunération majorée.
Le calcul de la durée normale de travail s'effectue par périodes hebdomadaires, sauf si les conventions et accords collectifs en disposent autrement.

Article 39 : Une durée du travail inférieure à la durée normale peut être établie d'un commun accord entre l'employeur et le salarié. L'accord détermine les horaires de travail et les conditions de leur éventuelle variation.

Le salarié à temps partiel bénéficie de droits reconnus au salarié dont la durée de travail est normale. Il a droit à une rémunération déterminée proportionnellement à celle de ce salarié.

Article 40 : L'employeur et le salarié disposant d'une liberté d'organisation de son travail peuvent convenir d'une rémunération mensuelle forfaitaire incluant le paiement d'un nombre déterminé d'heures supplémentaires. Ils peuvent aussi convenir d'une durée forfaitaire de travail dans l'année, à condition que la convention ou l'accord collectif applicable garantissent le respect du droit au repos et à la protection de la santé du salarié.

VI.

RÉMUNÉRATION

Article 41 : Tout salarié a droit à un salaire lui assurant une vie libre et digne. Le salaire est proportionné à l'ampleur et à la qualité du travail.

Article 42 : La rémunération du salarié est mensuelle et indépendante, pour un horaire de travail effectif déterminé, du nombre de jours travaillés par mois.

Article 43 : Les sommes dues à titre de rémunération sont saisissables ou cessibles dans les proportions et selon des seuils déterminés par décret.

Article 44 : L'action en paiement du salaire se prescrit par trois ans à compter du jour où le salarié a connu les faits lui permettant de l'exercer.

VII.

LITIGES DU TRAVAIL

Article 45 : La juridiction du travail est compétente pour connaître de tout différend né à l'occasion de la conclusion, de l'exécution ou de la rupture d'un contrat de travail.

Article 46 : Toute mesure prise à l'égard d'un salarié pour avoir saisi la justice d'un différend est nulle.

Article 47 : Toute mesure prise à l'égard d'un salarié pour avoir témoigné dans un litige du travail est nulle.

Article 48 : L'action en justice relative à une discrimination obéit à des règles de preuve adaptées à la situation du salarié.

VIII.

DÉFENSE DES INTÉRÊTS DU SALARIÉ

Article 49 : Tout salarié a droit à voir ses intérêts défendus par un syndicat de son choix.

Article 50 : Tout salarié a droit à participer à l'élection d'un représentant qui assure la défense de ses intérêts dans l'entreprise. Les modalités de l'élection du représentant et ses pouvoirs sont fixés par la loi.

DÉCLINAISONS

Une fois les principes extraits du droit actuel, une autre entreprise commence. Il s'agit de décliner ces principes, de les inscrire dans les rapports de travail.

Parfois, les principes demandent des dispositions plus détaillées destinées à en assurer la mise en application.

Ces dispositions relèvent de la loi et du règlement. Ainsi en va-t-il de la détermination de la durée des congés payés. Elles relèvent aussi de la négociation collective. Entre la loi et la convention ou l'accord collectif, la complémentarité n'a pas, le plus souvent, besoin d'être signalée tant elle est dans l'ordre des choses. Une convention ou un accord collectif peuvent aménager les procédures disciplinaires ou les procédures de licenciement, voire augmenter les indemnités dues au salarié en cas de rupture du contrat.

Parfois, la répartition des compétences entre loi et négociation collective oblige à des choix plus délicats. Par exemple, est-ce à la loi de fixer la durée normale du travail au cours d'une semaine ? Ou bien à la négociation collective, la loi n'imposant alors sa mesure qu'à défaut de convention ou d'accord collectif ? Avec la première option, le droit français conserve sa conception historique de la durée légale du travail, qui est, il faut le rappeler, une durée normale fixée par la loi, rien de plus. Ni une durée maximale ni une durée minimale. Avec la seconde option, la durée légale reste la référence, mais elle est subsidiaire.

Entre rôle naturel de complément de la loi et rôle, plus controversé, d'alternative à la loi, l'opposition est moins sensible si la loi est plus ferme dans ses principes et plus modeste dans ses détails.

En tant qu'elles relèvent de la loi, les déclinaisons des principes peuvent prendre trois directions, que l'on suivra toutes pour en faire ressortir – avec des exemples – les exigences, les intérêts et les limites.

La première voie est la *reproduction* : il s'agit de reprendre, avec ménagement et quelques aménagements, les dispositions actuelles. La deuxième voie est la *synthèse* : il s'agit de faire court là où le Code est prolixe. La troisième voie est la *novation* : il s'agit d'exprimer une approche nouvelle non pas des principes, mais de leur mise en application.

Les trois voies ont leurs mérites et obligent à des choix. Les illustrations données montrent que nulle direction n'est fermée, mais qu'aucune ne peut être suivie sans réflexion sur ce qui est entrepris.

À l'heure des choix, un facteur peut peser d'un poids particulier : le droit du contrat du travail des temps présents doit pouvoir prendre appui sur la conception concertée et la diffusion de guides d'utilisation et de modèles de contrats ou de documents. Leur élaboration pourrait revenir à l'administration du travail, avec le concours des partenaires sociaux. Et leur diffusion pourrait être, en toute sécurité, largement assurée, notamment par le recours généralisé à l'informatique.

L'élaboration de guides d'utilisation et de modèles permet d'enrichir la réflexion de tous sur l'information et les apprentissages dont employeurs et salariés ont besoin. Elle permet de mieux saisir la nature et l'ampleur des engagements qu'ils prennent. Elle montre aussi les chemins de la bonne foi contractuelle.

La voie de la reproduction : exemple

Article 1 : Les droits fondamentaux de la personne sont garantis dans l'entreprise.

Nul ne peut apporter aux droits des personnes et aux libertés individuelles et collectives de restrictions qui ne seraient pas justifiées par la nature de la tâche à accomplir ni proportionnées au but poursuivi.

Commentaire

Ce texte aujourd'hui inséré dans le Code du travail sous l'article L 1121-1 est devenu une référence. Son interprétation a représenté une œuvre de longue haleine.

C'est sur son fondement qu'ont été déterminés les contours de la liberté d'expression dans l'entreprise, plus étendue par exemple lorsque le salarié exerce des fonctions qui l'obligent à apprécier les résultats et les initiatives. C'est sur son fondement qu'a été fixé le sort des messages personnels émis et reçus par la messagerie du salarié.

Sa réécriture créerait plus d'inconvénients que d'avantages.

Temps libre :
Les papas vont s'occuper
des enfants

La voie de la synthèse :
exemples

Article 3 : Toute discrimination à raison de l'origine, des opinions, de l'appartenance à une ethnie, une nation, une race ou une religion déterminée ainsi qu'à raison du sexe, de l'orientation ou identité sexuelle, de l'âge, de la situation de famille, de la grossesse, de l'apparence physique, du nom de famille, du lieu de résidence, de l'état de santé, ou d'un handicap est interdite dans l'entreprise.

Nul ne peut être écarté d'une procédure de recrutement ou de l'accès à un stage ou à une formation en entreprise, nul ne peut être sanctionné, licencié, ou faire l'objet d'une mesure quelconque pour les raisons ci-dessus mentionnées.

Nul ne peut être sanctionné, licencié ou faire l'objet d'une mesure quelconque en raison de l'exercice normal du droit de grève ou de l'exécution d'une obligation civique, telles les fonctions de juré ou de citoyen assesseur.

Toute disposition ou tout acte pris en méconnaissance des dispositions du présent article est nul.

Article 4 : Les différences de traitement entre salariés ne sont admissibles que si elles répondent de manière appropriée à un but légitime.

Les différences de traitement ne sont admises que lorsqu'elles répondent à une exigence professionnelle essentielle et déterminante et pour autant que l'objectif soit légitime et l'exigence proportionnée.

Les différences de traitement fondées sur l'âge ne constituent pas une discrimination lorsqu'elles sont objectivement et raisonnablement justifiées par un but légitime et que les moyens de réaliser ce but sont nécessaires et appropriés.

Les différences de traitement fondées sur l'inaptitude constatée par le médecin du travail en raison de l'état de santé, ou du handicap ne constituent pas une discrimination lorsqu'elles sont objectives, nécessaires et appropriées.

Article 7 : Le harcèlement moral ou sexuel est interdit, et sa victime protégée.

Aucune personne ne doit subir des agissements de harcèlement moral qui ont pour objet ou pour effet une dégradation de ses conditions de travail susceptible de porter atteinte à ses droits et à sa dignité, d'altérer sa santé physique ou morale ou de compromettre son avenir professionnel.

Aucune mesure ne peut être prise à l'encontre d'une personne pour avoir subi ou refusé de subir des agissements de harcèlement moral ou pour avoir témoigné de tels agissements ou les avoir relatés.

Aucune personne ne doit subir des faits de harcèlement sexuel constitué par des propos ou comportements à connotation sexuelle qui portent atteinte à sa dignité en raison de leur caractère dégradant ou humiliant, ou créent à son encontre une situation intimidante, hostile ou offensante, ni des faits consistant en toute forme de pression grave, exercée dans le but réel ou apparent d'obtenir un acte de nature sexuelle recherchée au profit de l'auteur des faits ou au profit d'un tiers.

Aucune mesure ne peut être prise à l'encontre d'une personne pour avoir subi ou refusé de subir des faits de harcèlement sexuel ou pour avoir témoigné de tels faits ou les avoir relatés.

Toute disposition ou tout acte pris en méconnaissance des dispositions du présent texte est nul.

L'employeur prend toutes dispositions en vue de prévenir les faits ou agissements de harcèlement, d'y mettre un terme et de les sanctionner.

Article 9 : Le contrat à durée indéterminée est la forme normale de la relation de travail. Le contrat à durée déterminée

permet de répondre aux besoins temporaires de l'entreprise.

Un contrat de travail à durée déterminée, quel qu'en soit le motif, ne peut
avoir ni pour objet ni pour effet de
pourvoir durablement un emploi lié à
l'activité normale et permanente de
l'entreprise. Il est interdit de conclure
un contrat à durée déterminée pour
remplacer un salarié dont le contrat est
suspendu à la suite d'un conflit collectif
du travail ou pour effectuer certains tra-
vaux particulièrement dangereux figu-
rant sur une liste établie par voie
réglementaire, dans les conditions prévues à l'article L 4154-1, sous réserve
d'une dérogation exceptionnellement
autorisée par l'autorité administrative.
Un contrat à durée déterminée comporte un terme fixé avec précision dès
sa conclusion. Sa durée ne peut excé-
der dix-huit mois, renouvellement
compris.

Un contrat à durée déterminée peut ne pas comporter de terme précis, mais une durée minimale, lorsqu'il est conclu pour assurer le remplacement d'un salarié dont le contrat est suspendu. Il en va de même pour pourvoir un emploi à caractère saisonnier ou pour lequel, dans certains secteurs d'activité définis par décret ou par voie de convention ou d'accord collectif étendu, il est d'usage courant de ne pas recourir au contrat à durée indéterminée en raison de la nature de l'activité exercée et du caractère par nature temporaire de ces emplois.

Il a pour terme la fin de la suspension du contrat ou la réalisation de l'objet pour lequel il a été conclu.

Le contrat à durée déterminée peut comporter une période d'essai dont la durée raisonnable est proportionnée à la durée du contrat.

Le salarié recruté par contrat à durée déterminée bénéficie des droits reconnus aux autres salariés par la loi, les conventions et accords collectifs, à l'exception des dispositions applicables à la rupture du contrat.

Commentaires

1. Dans ce texte, est consigné l'esprit du droit actuel dont le respect des dispositions fort détaillées n'est aujourd'hui pas toujours assuré.

Au lieu de présenter une typologie complexe de divers contrats à durée déterminée, le texte use d'une formule générale, en l'empruntant aux textes en vigueur.

2. Ce qui n'est pas repris du droit actuel, c'est le formalisme du contrat à durée déterminée. Toute embauche devrait donner lieu à l'établissement d'un document (v. la voie de la novation, sous-article 12). C'est dans ce document que le choix d'un contrat à durée déterminée serait indiqué, avec, le cas échéant, son motif, et en tout cas sa durée certaine ou prévisible.

3. La matière des contrats à durée déterminée pourrait être terre d'élection de modèles.

Article 25 : Tout licenciement requiert de l'employeur qu'il informe le salarié de son projet, recueille ses observations et dispose d'un motif réel et sérieux pour y procéder.

Tout licenciement requiert un motif réel et sérieux.

L'employeur qui envisage de licencier un salarié lui fait connaître le ou les motifs soit lors d'un entretien au cours duquel le salarié peut se faire assister par un autre salarié de l'entreprise, un représentant du personnel ou un conseiller du salarié, soit par écrit. Il laisse au salarié un temps suffisant pour que celui-ci lui fasse connaître ses observations. Si le salarié demande un entretien, il est de droit.

Sauf si le licenciement est envisagé à raison d'une faute du salarié, l'employeur ne peut procéder au licenciement qu'après avoir épuisé toutes les possibilités de reclassement.

Lorsque le licenciement est envisagé pour un motif non inhérent à la personne du salarié, l'employeur prend en compte, dans le choix du ou des salariés concernés, de critères objectifs qu'il fait connaître aux délégués du personnel en même temps qu'il les informe du licenciement envisagé avant de recueillir leur avis.

Le licenciement est notifié par lettre recommandée avec accusé de réception qui comporte l'énoncé du ou des motifs invoqués par l'employeur.

L'inobservation par l'employeur de la procédure requise ouvre droit au profit du salarié à une indemnité qui ne saurait être supérieure à un mois de salaire.

Si le licenciement survient sans que l'employeur ait épuisé toutes les possibilités de reclassement, ou sans que l'employeur ait fait régulièrement connaître son ou ses motifs ou encore, en cas de litige, sans que soit établie, par un juge, l'existence d'un motif réel

et sérieux, le salarié a droit à une indemnité qui, si le salarié a deux années
d'ancienneté, ne saurait être inférieure
à six mois de salaire.

Commentaires

Ce texte destiné aux entreprises de taille modeste simplifie dans sa formulation le droit actuel. Il fait apparaître les exigences essentielles d'une procédure de licenciement, conformes à la convention n° 158 de l'Organisation internationale du travail ratifiée par la France.

Des aménagements du droit actuel sont toutefois proposés dans le texte.

• *Il vise tous les licenciements ; autrement dit, dans les entreprises de taille modeste seules visées par ce texte, les exigences sont pour l'essentiel les mêmes que pour le licenciement pour motif économique ou pour tout autre motif.*

• *L'exigence d'un entretien préalable est assouplie*

• *La recherche préalable au licenciement d'un possible reclassement est généralisée, sauf licenciement disciplinaire.*

Article 28 : Nul ne peut être écarté de son emploi en raison de son âge ou de sa vocation à percevoir une pension de retraite, même à taux plein, sauf si le départ du salarié, avec jouissance immédiate à une pension à taux plein, donne lieu au recrutement concomitant d'une personne en recherche d'emploi.

Le salarié peut rompre le contrat de travail pour bénéficier d'une pension de retraite. Cette rupture, qui requiert le respect d'un préavis équivalant à celui prévu en cas de démission, lui ouvre droit à une indemnité de départ dont le montant minimum est fixé par voie réglementaire.

L'employeur peut rompre le contrat de travail, moyennant l'observation d'un délai de prévenance égal au délai de préavis et le versement de l'indemnité prévue en cas de licenciement, lorsque le salarié remplit les conditions pour bénéficier d'une pension de retraite à taux plein et que le départ du salarié donne lieu au recrutement immédiat d'une personne en recherche d'emploi.

Commentaire

Dans sa deuxième partie (2ᵉ alinéa), ce texte s'éloigne du droit actuel récemment modifié, qui suscite des incompréhensions et des critiques. Le texte entend concilier l'interdiction de discrimination à raison de l'âge et la nécessité d'une solidarité inter-génerationnelle dont doivent bénéficier au premier chef les demandeurs d'emploi.

La voie de la novation : exemples

Article 12 : Le salarié a droit, lors de son embauche, à une information complète et écrite sur les éléments essentiels de la relation de travail.

L'employeur porte à la connaissance du salarié, à l'aide d'un document qui est établi au plus tard dans les huit jours qui suivent la date de début du travail, les éléments suivants :
- L'identité des parties
- Le, ou les lieux, de travail ainsi que le domicile de l'employeur
- La qualité en laquelle le salarié est occupé
- La date de début d'exécution du travail

- S'il s'agit d'un contrat à durée déterminée, la durée au moins prévisible
- Le montant du salaire et des autres éléments de rémunération ainsi que la période de leur versement
- La durée du travail journalière et hebdomadaire normale du salarié
- La mention de la convention collective applicable

À défaut d'établissement de ce document ou de remise au salarié dans le délai requis, la déclaration du salarié est présumée indiquer l'accord des parties.

Commentaires

1. Le droit de l'Union européenne (directive 91/533 du 14 octobre 1991) rend ce texte nécessaire.

2. La consécration de ce droit du salarié à une information complète et écrite permettrait de tenir pour surabondantes les très nombreuses dispositions qui, dans le droit actuel, prévoient un contrat écrit et des clauses obligatoires. Un contrat de travail écrit serait possible, et il y aurait place ici pour des modèles. Mais le formalisme obligatoire pourrait se limiter à ce document.

3. L'importance de ce document justifie que son défaut total ou partiel ait comme conséquence de donner un effet juridique à la déclaration du salarié.

4. Ce document devrait pouvoir donner lieu à un modèle simple et facile d'accès (par internet).

Article 49 : Tout salarié a droit à voir ses intérêts défendus par un syndicat de son choix.

Commentaires

Avec ce principe, on se trouve à la frontière du droit du contrat de travail et du droit des relations professionnelles. Il est important que ce droit du salarié soit formulé, même s'il se déduit de la liberté syndicale que consacrent les grands textes internationaux et le préambule de la Constitution. En effet, il s'agit d'un droit qui est indépendant de l'affiliation syndicale, et ce droit individuel est opposable à l'employeur.

Article 50 : Tout salarié a droit à participer à l'élection d'un représentant qui assure la défense de ses intérêts dans l'entreprise. Les modalités de l'élection du représentant et ses pouvoirs sont fixés par la loi.

Commentaires

Ce principe se prête aux mêmes commentaires que le précédent. Il souligne l'importance de l'élection de délégué(s).

Mais il faut envisager comment est assurée cette représentation élue notamment dans les entreprises où il n'y a pas d'élections. Des élections territoriales sont alors nécessaires. Les dispositions suivantes pourraient être envisagées :

« Les salariés qui travaillent dans les entreprises où il n'est procédé à l'élection d'aucune représentation du personnel élisent des délégués.

Le cadre territorial et le cadre professionnel des élections sont déterminés par un
accord national interprofessionnel, à
défaut par des accords interprofession-
nels départementaux.

À défaut d'accord collectif applicable,
des élections sont organisées par département.

Les accords collectifs déterminent les
conditions requises pour être électeur, les
conditions d'éligibilité des délégués, la
durée de leur mandat, les modalités
d'organisation des élections. À défaut
d'accord collectif applicable, les conditions sont déterminées par décret. La
durée du mandat est fixée à quatre ans.

Sans préjudice des autres missions que
les accords collectifs leur attribuent, les
délégués élus ont pour mission d'assister les salariés et de présenter leurs
réclamations à leurs employeurs.

Ils bénéficient d'un droit d'accès aux
locaux des entreprises dans les conditions fixées par les accords collectifs. »

Les guides et modèles :
quelques utilisations possibles

Article 9 : Le contrat à durée indéterminée est la forme normale de la relation de travail. Le contrat à durée déterminée permet de répondre aux besoins temporaires de l'entreprise.

Il reviendrait aux partenaires sociaux, sous l'égide de l'administration du travail, d'élaborer des modèles de contrat et de prolonger des expériences privées qui existent déjà.

L'exigence commune à tous les contrats serait l'établissement, lors de l'embauche, d'un document indiquant tous les éléments essentiels de la relation de travail. Un modèle de document, avec ses rubriques et un court mode d'emploi, devrait être élaboré par les partenaires sociaux et mis à la disposition du public par la voie d'internet.

Article 12 : Le salarié a droit, lors de son embauche, à une information complète et écrite sur les éléments essentiels de la relation de travail.

Le document correspondant pourrait être élaboré sous forme de modèle et rendu disponible par internet.

*

CONCLUSION

Devant la situation dramatique de l'emploi en France qui affecte des millions de nos concitoyens, angoisse la société tout entière et fraye le chemin du pouvoir aux démagogues, il appartient à chaque citoyen d'apporter dans son champ de compétence sa contribution, si modeste soit-elle, à la première des causes nationales : la lutte contre le chômage.

Juristes, nous avons voulu, dans le champ de compétence qui est le nôtre, mettre en lumière les principes qui structurent le droit du travail et sont aujourd'hui ensevelis sous des textes trop nombreux, même s'ils procèdent des meilleures intentions.

Si un accord peut se faire, après débat entre les partenaires sociaux, sur les principes exposés dans ce modeste ouvrage, alors notre contribution n'aura pas été qu'académique. Nous n'avons pas d'autre ambition.

REMERCIEMENTS

Nous adressons nos plus vifs remerciements à Plantu qui a accepté que nous utilisions quelques-uns de ses dessins pour éclairer d'un sourire ces pages austères. Nous exprimons notre reconnaissance à notre collègue Pascal Lokiec pour sa précieuse contribution et à maître Christophe Clerc pour ses remarques et suggestions. Nous disons notre gratitude à Anne-Laure Jacquemart, sans l'efficacité de laquelle cet ouvrage n'aurait jamais pris corps.

TABLE

Composition et mise en pages
Nord Compo à Villeneuve--d'Ascq

Achevé d'imprimer en juin 2015
sur les presses numériques de l'Imprimerie Maury S.A.S.
Z.I. des Ondes – 12100 Millau

87-4035-7/02

Dépôt légal : juin 2015
N° d'impression : F15/52500L

Imprimé en France